La niña que PARÓ el TRÁNSITO

Fabrício Valério

La niña que paró el tránsito

ILUSTRACIONES DE

Bruna Assis Brasil

TRADUCCIÓN DE

Alicia Salvi

V&R
Editoras

Título original *A menina que parou o trânsito*
Edición: Margarita Guglielmini y Nancy Boufflet
Ilustraciones: Bruna Assis Brasil
Armado: Nai Martínez

Argentina: San Martín 969 piso 10 (C1004AAS) Buenos Aires
Tel./Fax: (54-11) 5352-9444 y rotativas · e-mail: editorial@vreditoras.com

México: Dakota 274, Colonia Nápoles
CP 03810 - Del. Benito Juárez, Ciudad de México
Tel./Fax: (52-55) 5220-6620/6621 · 01800-543-4995
e-mail: editoras@vergarariba.com.mx

ISBN 978-987-747-357-5

Impreso en China · Printed in China
Enero de 2018

Valério, Fabrício
La niña que paró el tránsito / Fabrício Valério; ilustrado por Bruna Assis Brasil.
1a. ed. - Ciudad Autónoma de Buenos Aires: V&R, 2018.
32 p.: il. ; 23 x 28 cm.

Traducción de: Alicia Salvi.
ISBN 978-987-747-357-5

1. Narrativa Infantil Brasilera. I. Assis Brasil, Bruna, ilus. II. Salvi, Alicia, trad.
III. Título.
CDD 869.39282

Para Caetano, mi *Gaetaninho*, y para todos los niños y niñas de Barra Funda,
que pedalean y esquivan los autos, resisten y ocupan las calles con su alegría.

En una gran ciudad...

...había una niña que paró el tránsito con su bicicleta.

El policía de la esquina le tocó el silbato

a la niña que paró el tránsito con su bicicleta.

El hombre que estaba atrasado aceleró su auto

por el susodicho policía que tocó el silbato
a la niña que paró el tránsito con su bicicleta.

El conductor del autobús frenó refunfuñando

por ese hombre atrasado que aceleró su auto
por el susodicho policía que tocó el silbato
a la niña que paró el tránsito con su bicicleta.

El taxista malhumorado gritó

por el conductor del autobús que frenó refunfuñando
por ese hombre atrasado que aceleró su auto
por el susodicho policía que tocó el silbato
a la niña que paró el tránsito con su bicicleta.

El motociclista apresurado protestó

por el taxista malhumorado que gritó

por el conductor del autobús que frenó refunfuñando

por ese hombre atrasado que aceleró su auto

por el susodicho policía que le tocó el silbato

a la niña que paró el tránsito con su bicicleta.

El chofer de la ambulancia asustado prendió la sirena

por el motociclista apresurado que protestó
por el taxista malhumorado que gritó
por el conductor de autobús que frenó refunfuñando
por ese hombre atrasado que aceleró su auto
por el susodicho policía que le tocó el silbato
a la niña que paró el tránsito con su bicicleta.

El piloto del helicóptero enfurecido sobrevoló

la cabeza del chofer de la ambulancia que asustado prendió la sirena
por el motociclista apresurado que protestó
por el taxista malhumorado que gritó
por el conductor de autobús que frenó refunfuñando
por ese hombre atrasado que aceleró su auto
por el susodicho policía que le tocó el silbato
a la niña que paró el tránsito con su bicicleta.

Entonces un viejo curioso
que no había entrado (todavía) en esta historia
viendo semejante escándalo
por culpa de la niña que paró el tránsito
decidió para divertirse
cruzar la calle...

...bien des-pa-ci-to.

SI ESTA CALLE FUERA MÍA

Todos los días en mi caminata de vuelta a casa después del trabajo, veo niñas y niños en las aceras. Juegan a la pelota, andan en bicicleta y en skate, juegan a las escondidas, corren de aquí para allá. Ahí nomás bien cerca, en la calle, pasan muchos autos a toda velocidad (cuando pueden, claro, porque casi siempre están atascados y suenan estrepitosos). Tiemblo y pienso: "¿y si una pelota pica en el medio de la calle y alguien sale corriendo a buscarla?". Después, más adelante pienso de nuevo: "caramba, esta vereda es muy estrecha. ¿Por qué el espacio de los autos es mucho mayor que el de las personas?".

Entonces me enojo, realmente me indigno y, ya cerca de casa, pienso un poco más (cuando uno se pone a pensar, una idea trae otra y no se detiene nunca): "¡Ay, si yo fuera el dueño de esta calle! ¡Si esta calle fuera mía! Yo ordenaría...". No, yo no ordenaría nada. Si esta calle fuera mía, sería de todo el mundo. Siempre tendría preferencia la gente de carne y hueso. Y punto. Entonces, abro la puerta principal de mi edificio, tomo el elevador y entro a mi casa. Respiro hondo. Ya es de noche. Oigo el griterío feliz de los niños allá afuera. Y, aunque apretado, mi corazón sonríe.

Fabrício Valério

FABRÍCIO VALÉRIO

Nació en San Pablo en 1981. Se graduó en periodismo en la Universidad PUC Pontificia Universidad Católica de Sao Paulo, es editor y traductor. Le horroriza conducir. No le parece que tal cosa se haya inventado para ser hecha por el hombre. Prefiere el transporte público porque puede leer y escuchar las conversaciones de los otros. Escribe un montón de historias en su cabeza durante sus caminatas. Pero es muy perezoso y nunca las lleva al papel. Su mujer le dio un ultimátum y así nació *La niña que paró el tránsito.*

BRUNA ASSIS BRASIL

Nació en Curitiba en 1986. Se graduó en periodismo y diseño gráfico. Siempre le gustó mucho viajar por el mundo de los libros. Un día, llegó a Barcelona que queda en España. Allá hizo un posgrado en Ilustración Creativa y se formó como ilustradora. Ya ha publicado más de 30 libros. Fue nominada al premio Jabuti 2013 y ganó el premio FNLIJ 2016 con el libro *Malala, la niña que quería ir a la escuela*, publicado en español por V&R Editoras.

¡Tu opinión es importante!
Escríbenos un e-mail a **miopinion@vreditoras.com**
con el título de este libro en el **"Asunto".**

Conócenos mejor en: **www.vreditoras.com**
f facebook.com/vreditoras

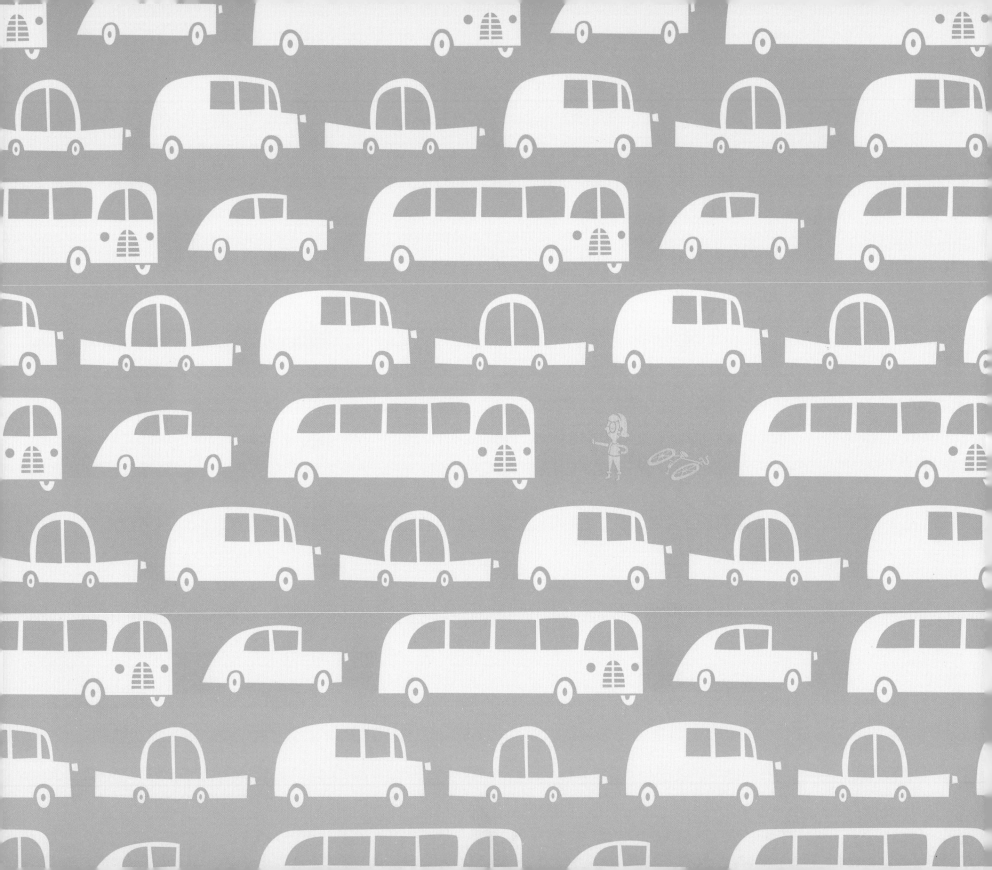